DEIAN A LOLI
A'R BAI AR GAM

I Nel, Seán Gethin, Cain, Syfi, Lewsyn, Jac a Mati Iola

Argraffiad cyntaf: 2018

Dymuna'r cyhoeddwyr gydnabod cymorth ariannol Cyngor Llyfrau Cymru.
Diolch i Dylan Huws, Rheolwr Gyfarwyddwr Cwmni Da, a Sioned Roberts, Comisiynydd Rhaglenni Plant S4C.

Lluniau: Nest Llwyd Owen
Logo Deian a Loli: Peris & Corr

Rhif llyfr rhyngwladol: 978 1 78461 578 9

Cyhoeddwyd ac argraffwyd yng Nghymru
gan Y Lolfa Cyf., Talybont, Ceredigion, SY24 5HE
e-bost: ylolfa@ylolfa.com
y we: www.ylolfa.com
ffôn: 01970 832304
ffacs: 01970 832782

DEIAN A LOLI

A'R BAI AR GAM

y Lolfa

Angharad Elen a Nest Llwyd Owen

Prynhawn dydd Sul oedd hi, ac roedd hi'n draed moch yn nhŷ Deian a Loli. Roedd goriadau'r car ar goll, a Mam a Dad wedi bod yn chwilio amdanyn nhw ers oriau.

Ond roedd gan Deian a Loli gyfrinach.

Roedden nhw wedi taflu goriadau'r car i'r cae drws nesa er mwyn osgoi mynd i'r archfarchnad. Ond, erbyn hyn, roedd yr efeilliaid yn dechrau teimlo'n euog.

Doedd dim amdani ond mynd i nôl y goriadau
o'r cae a syrthio ar eu bai, ond yn gyntaf...

Daeth pelydrau hud o'u dwylo,
gan rewi Mam a Dad i'r unfan!

Dach chi'n gweld, doedd rhieni
Deian a Loli ddim yn fodlon iddyn nhw
ddringo na choeden na wal na dim. Ond doedd
gan yr efeilliaid ddim dewis os oedden nhw am
gael y goriadau yn ôl.

Ond er iddyn nhw chwilio'n ddyfal, doedd dim sôn am y goriadau.
Toc, daeth titw draw i roi ei phig i mewn.
"Musus Tomos Las at eich gwasanaeth!" meddai. "Alla i helpu?"

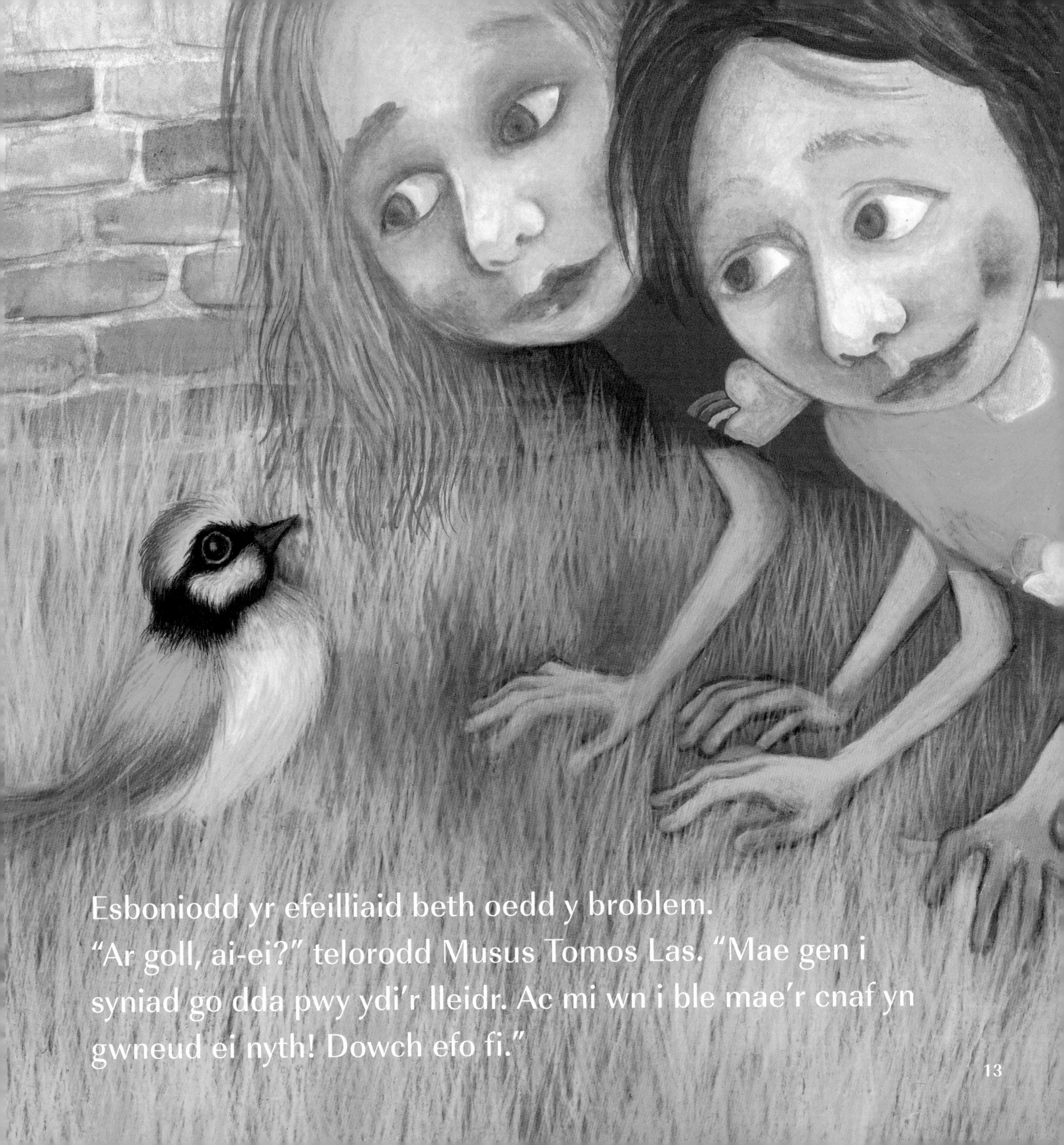

Esboniodd yr efeilliaid beth oedd y broblem.
“Ar goll, ai-ei?” telorodd Musus Tomos Las. “Mae gen i syniad go dda pwy ydi’r lleidr. Ac mi wn i ble mae’r cnaf yn gwneud ei nyth! Dowch efo fi.”

Rhoddodd Deian a Loli eu bodiau
ar eu trwynau a chwifio'u bysedd

ac ar amrantiad roedden nhw'n bitw, bychan, bach.
Yn ddigon bach i...

... ddringo ar gefn Musus Tomos Las!

Wihiiiii!
Gafaelon nhw'n dynn yn ei phlu ac i ffwrdd â nhw ar wib ar adain y gwynt.

Cyn pen dim, cyrhaeddon nhw'r llecyn bach dela'n y byd.
Yn crogi ym mrigau'r coed roedd trugareddau tlws yn tywynnu rhwng y dail.

Yna, gwelodd Loli rywbeth cyfarwydd – hen gwpan a enillodd am chwarae mewn twrnament pêl-droed. A sylwodd Deian ar un o'i hen gryno-ddisgiau yn disgleirio yn yr haul. "Ddudish i, yn do?" meddai Musus Tomos Las, yn falch iawn ohoni ei hun.

A dyna pryd y gwelson nhw oriadau'r car
yn sgleinio ymysg y gwyrddni, a phioden
yn cael paned o de.
"Dyma fo'r dihiryn!" sgrechiodd Musus
Tomos Las, oedd o'i cho yn lân erbyn hyn.

“Pia Brith ydw i,” meddai’r bioden bowld. “A fi pia popeth a welwch chi.”

“Naci, tad!” protestiodd Deian. “Fi pia’r gryno-ddisg ’na!”
“A fi pia’r cwpan ’na!” ategodd Loli. “Mae fy enw i arno fo.”
“Dod o hyd iddyn nhw wnes i, nid eu dwyn. Fi pia nhw!” meddai Pia Brith yn big.

Dyna pryd y cofiodd Loli ei bod wedi gadael ei chwpan yn y parc ar ôl bod yn dal penbyliaid ynddo: roedd chwe mis ers hynny. A chofiodd Deian fod crac wedi ymddangos yn ei gryno-ddisg, ac yn ei dymer roedd wedi ei thaflu drwy'r ffenest.

"Ond beth am y goriadau?" mynnodd Musus Tomos Las. "Chdi wnaeth ddwyn y rheini, a phaid â meiddio taeru fel arall."
Ond roedd gan Pia Brith ateb i hynny hefyd.

"Gweld yr efeilliaid yn taflu'r goriadau dros y wal wnes i, a chymryd yn ganiataol nad oedd neb eu heisiau," meddai. Am yr eildro y diwrnod hwnnw, roedd Deian a Loli yn teimlo'n euog iawn.

Bu'n rhaid i'r ddau syrthio ar eu bai, ac ymddiheuro wrth Pia Brith am ei gyhuddo ar gam.

Cytunodd roi'r goriadau yn ôl i'r efeilliaid ar yr amod
eu bod yn aros am damaid o fara brith.
A dyna lle buon nhw'n sgwrsio fel hen ffrindiau,
nes aeth y dydd yn hen.

Ar ôl ffarwelio â Pia Brith a hedfan am adre, diolchodd Deian a Loli i Musus Tomos Las am eu helpu.

Gwnaeth y ddau eu hunain yn fawr eto, cyn sleifio at fag Mam, a gosod goriadau'r car yn ôl ynddo.

Unwaith eto, daeth pelydrau hud o ddwylo Deian a Loli, gan ddadmer eu rhieni.

“Mam,” holodd Deian, gan geisio cuddio gwên,
“wyt ti’n siŵr nad ydy’r goriadau yn dy fag di?”
“Wrth gwrs ’mod i’n siŵr,” meddai Mam.
Ond wrth dwrio yn ei bag am y canfed tro...

... dyna lle'r oedd y goriadau – mor amlwg â haul canol dydd. "Ond, doedden nhw ddim yna eiliad yn ôl!" meddai'n syn. "Mae Mam yn dechrau drysu, blantos!" meddai Dad.

Gwyddai Deian a Loli yn wahanol
wrth gwrs, ac roedd ganddyn nhw
biti dros Mam yn cael bai ar gam.
"'Dan ni'n dy gredu di, Mam,"
meddai Loli.
"Ella fod y goriadau wedi mynd
ar eu hantur bach eu hunain!"
meddai Deian wedyn.

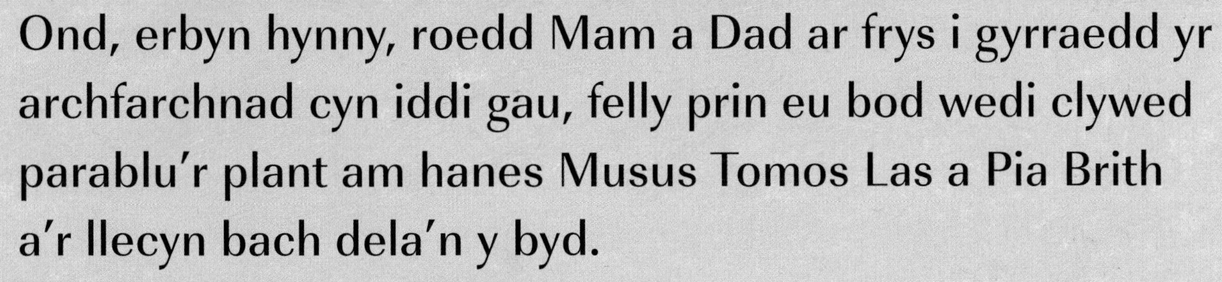

Ond, erbyn hynny, roedd Mam a Dad ar frys i gyrraedd yr archfarchnad cyn iddi gau, felly prin eu bod wedi clywed parablu'r plant am hanes Musus Tomos Las a Pia Brith a'r llecyn bach dela'n y byd.

y Lolfa

www.ylolfa.com